KB171903

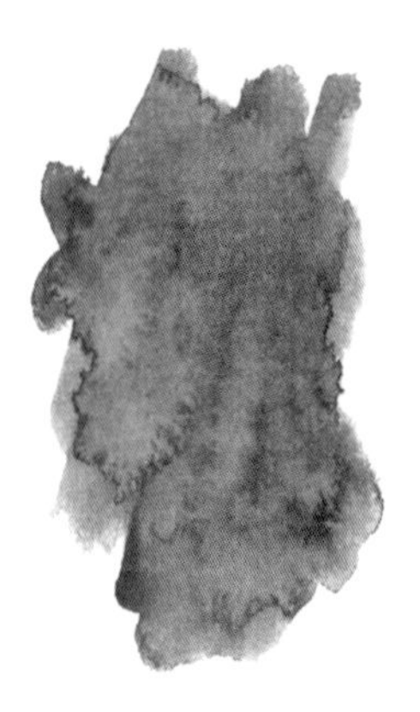

아토 : 선물

아토 : 선물

발　행 | 2024년 04월 29일
저　자 | 조우송
펴낸이 | 한건희
펴낸곳 | 주식회사 부크크
출판사등록 | 2014.07.15.(제2014-16호)
주　소 | 서울특별시 금천구 가산디지털1로 119 SK트윈타워 A동 305호
전　화 | 1670-8316
이메일 | info@bookk.co.kr

ISBN | 979-11-410-8300-7

www.bookk.co.kr

아토 : 선물

조우송 지음

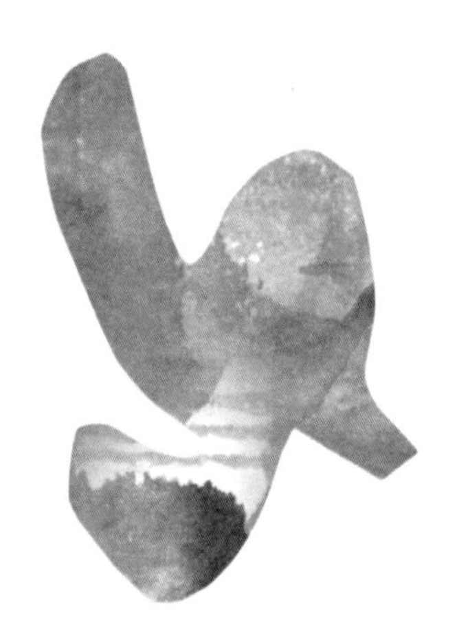

제1화 나린

살아가

우리 또 한 발짝 나아가자

그런대로 살아가는 거야
그러한 것도 행복한 거야

오늘이 지나면 비워지겠지
내일이 되면 또 채워지겠지

채울 수 있을 만큼 오늘을 살아가자

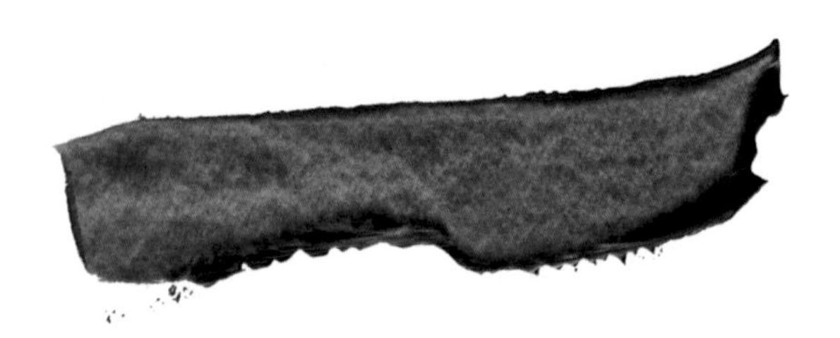

먼지 덩어리

사랑은 먼지 같아요
쌓이면 쌓일 수 록 뭉쳐지기 때문이죠
그 어떤 새벽으로도 치울 수 없어요

먼지가 뒹구르르 할 때
우린 하나밖에 없는 밤을 지새우지요

너무 사랑해요, 그대

은가람

두 손 옹골차게 모아 놓은 옹달샘
오로지 당신만을 위해 톡톡 떨어트리리

다 말라갈 즈음에

그대라는 이슬비가 내려
자그마한 너울이 일렁일 거야

찰랑, 찬란, 찰랑

흘러

새들이 지저귄다
짜깍짜깍
어쩌면 시간이 흘러가는 소리일지도 모른다

세상엔 우리가 모르는 것이 수두룩빽빽

언젠가 알게 된다면
혹여나 가까이한다면
꼭 알맞게 깨달았으면

독백

우리가 꿈속에서 사랑을 했다면 믿지 않겠지
그 속에서나마 너의 손을 잡아본다
가득 찬 내 마음만큼 생생했어

하루 종일 머릿속을 채운다
저 멀리 생각의 끝에서 부딪혀 쾅
마음이 나마 이렇게 끄적여본다

사랑했고 벅찰 만큼 보고 싶어

청소

이어질 끈이 없던 우리
어느 순간 하나가 되었지

다른 시절에 놓였지만
사랑이란 감정으로 묶여졌어

어느 순간
마음을 솎아내려 해
사랑이 아프겠지만 구석 청소해

가슴 어딘가의 흉터가 욱신거리며

형형색색

비가 룩주룩주 내려요
서로 다른 곳에 부딪혀
형형색색의 소리를 내지요

빗방울들은 알까요?
하늘은 울적하게 울기만 하고
숲은 굳건히 푸르게 웃고 있다는 것을

타다다닥
마음이 울린다

제2화 꽃가람

행복

늘 푸르고 파아란 세상
행복이 벅찬 삶
과분할 만큼 행복한 들판
소리 없이 고요한 예쁜 하늘
마음을 촉촉이 적시는 사랑비

그리고 너

희망 사항

쪼르륵 흐르는 시냇물 옆
하늘 베개를 배고 세근
고양이를 폭 안고서
나뭇잎에 갈라지는 따듯한 햇살을 맞으며
또 그렇게
평화 속 여러분의 숨소리
나는 좋아

과거 현재 미래

오늘도 찰칵 하루를 담는다

그늘진 나무 밑
앙칼진 강아지 옆
낮기만 한 기분 위
저 높은 하늘 아래

모든 게 담아지는 오늘
모처럼 설레는 지금
바람도 선선하니
어제 부럽지 않구나

너란 존재

벤치 앞에 떡하니 서있어
그 위에는 나뭇잎이 쌓여있었지
나뭇잎을 치울 용기가 없어
그냥 툭하고 주저앉았지

온몸이 부서지고
마음마저 식어갔지
나뭇잎이 바람에 날리고 나를 감싸네

시야가 어두워지는 순간
나는 또 살아갈 용기를 얻는다

한 줌도 아낌없이

가지런한 마음 모아
끄적였던 종잇장 모아
상심했던 고독 모아
두근했던 고백 모아
무심하게 떨어지는 꽃 조각 모아
이 세상 모두 모아

그대에게 모두 드리리

이끼

저마다 바쁜 일상에 사로잡힌다
가지 말라고, 가지 말라고
하지만 끝내 잡혀 버린다

어쩌면 쉬는 법을 잊어버린 것일지도 모른다
가슴에 맺힌 이끼가 득실득실 거린다
누가 좀 긁어 주었으면 좋으련만

또 하루가 지나간다

쾌유

많이 아프지 마
네 곁엔 항상 내가 있잖아
울어도 괜찮아, 뭐 어때?
그냥 우두커니 옆에 있어줄게

혼자만 아픈 게 얼마나 슬픈지 알아
만약 기댈 곳이 없다면 나에게 어리광 부려도 돼
금방 괜찮아질 거야

어서 나으렴

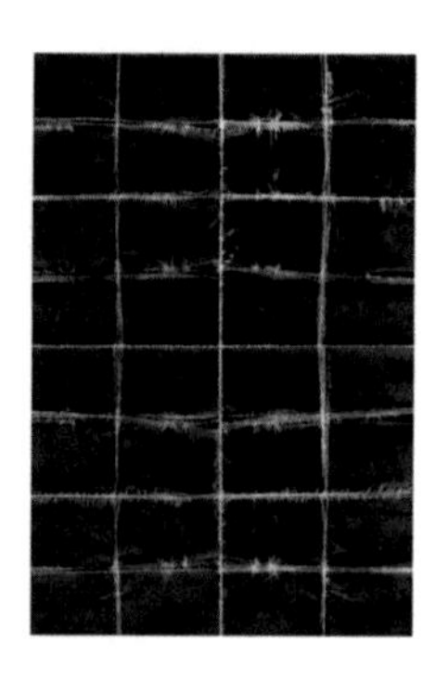

제3화 그린내

내 사랑

건조한 바람이 날리네
감정이 사그라 지지도 않은 채
벌벌 떨고 있는 나

피멍 든 옆구리 속
갈라진 팔꿈치의 각질
바람 잘 날 없는 몸뚱이

그래도 나를 사랑하네

한 줌

하루 한 줌 소중한 기억을 주워
이것은 추억일 수도
쓰라린 아픔일 수도 있어

잊을 만하면 찾아오는 기억
오로지 나만 알 수 있는
똑같은 하루의 한 줌의 특별함

뜻밖의 특별함을 소중히 생각해

망상 꿈

무념무상 그 즈음에 서성이다
꼳꼳이 선 꿈 자락 하나 번뜩이네

염원한 것들 속 피어나는 무언가
중얼중얼 얼버무리는 꿈 자락

끊임없이 자라나는 자각 속에서
오늘도 살아가야지 하네

더 나은 내일을 위한 너에게

곱씹어 생각했다면
꼭 맞게 그러하다면
마지못해 서두르고 있다면
그렇다고 해서 갈팡질팡한다면

그럼에도 불구하고

너를 진심으로 응원해
괜찮아 다 잘 될 거야

아버지

가식 없는 어깨
넓은 등판 뒤에 보이는
작은 틈 사이
가리어진 그림자
누굴 원망하련 지
그냥 지켜야지
이유는 없어

자연의 빛깔

구름의 색을 뽑아
노을의 색을 뽑아
정성스레 섞었더니
핑크빛 물결이 흐르네

눈에 가득히 담아
그대 눈망울에 톡톡 씻어내
무채색의 붓이 돼버린 나

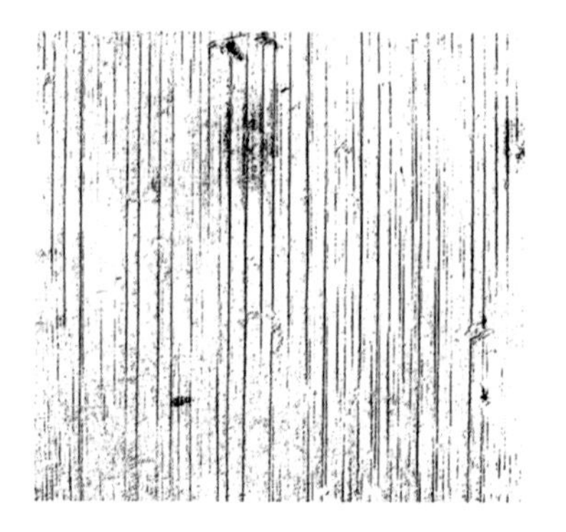

불협화음

검흰색이 저 멀리 보인다
감정이 건반을 두드려
어떤 멜로디가 나올까

내가 널 사랑하는 것을 알지만
마음이 두려운 건 어쩔 수 없나 봐
쾅쾅 치는 감정이 우스워진다

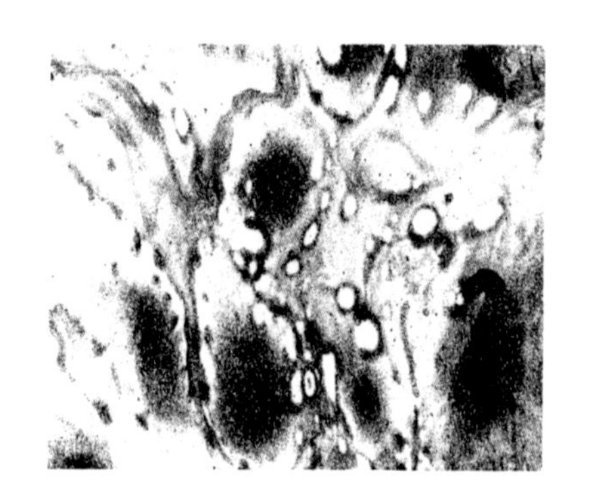

끝 끝 끝 끝 끝 끝 끝 끝 끝

END END END END END

おしまい おしまい おしまい

头尾 头尾 头尾 头尾 头尾

끝 끝 끝 끝 끝 끝 끝 끝 끝

END END END END END

おしまい おしまい おしまい

头尾 头尾 头尾 头尾 头尾

끝 끝 끝 끝 끝 끝 끝 끝 끝

END END END END END

おしまい おしまい おしまい

头尾 头尾 头尾 头尾 头尾

04/13 19:09:26